Ön

BILDER FRÅN EN SANDREVEL
LARS JONSSON

ATLANTIS

Bokförlaget Atlantis.
Västra Trädgårdsgatan 11 B 111 53 Stockholm
© Lars Jonsson 1983
Formgivning: Christer Jonson
Tryckt hos Ljungföretagen, Örebro 1983
ISBN 91-7486-287-1
ISBN 91-7486-148-4 (bibliofilupplaga)

Omslagsbilden: *Silvertärnor*

Det var en gång en sandrevel…

To James Douglas
with best wishes
from

Kaa Jorma

Vilande småtärnor

Ö N HADE REDAN TAGIT ett ordentligt kliv in i sommaren när denna berättelse börjar. Varför vet jag inte, men anar. Våren är hektisk och forcerad i sin strävan mot sommar. Jag fylls av dess liv och skönhet men hinner sällan måla mycket. Allt växlar så fort. Mina skissblock är fyllda av fragmentariska skisser präglade av samma rastlösa ofullbordan som våren själv. Kring midsommar när hundkexens brudflor faller av kommer en slags eftertanke. En blandad känsla av vemod och lättnad över att våren och försommaren ebbar ut fyller mig. Vissa år är känslan av vemod mycket stark. Redan i mitten av juni hör jag de första storspovarna sträcka mot söder. Lika överraskad varje år når mig budskapet i deras vemodiga visslingar, och en plötslig ångest inför livets förgänglighet kommer över mig. Parallellen med våra egna liv kan kännas påtaglig för mig. Våren och ungdomsåren bara rinner iväg i ett lite rusigt och snabbt tempo. Kring midsommar när året vänder kämpar vi som mest mot att försommaren går ifrån oss, då gör hösten som ondast. Mina somrar har ett lugnare tempo, jag accepterar tidens gång, hinner vila på årtagen, se mig omkring och tänka efter – och måla.

När jag här talar om hösten är sommaren alltså redan mogen och bär ingen känsla av vemod inom sig längre. Ordet höst återkommer ofta, många gånger som en biologisk term, ett fenologiskt begrepp för en vändpunkt i naturens årliga förlopp. Men ordet höst bär också på andra mer abstrakta känslor, en djup stämning av uppbrott vars spänning och kraft jag ej kan förklara.

Årets obevekliga förlopp är som ett människoliv, vi föds med de första takdroppen och de återvändande flyttfåglarna, vi dör med senhöstmörkret.

Men nu var det om sommaren och om ön jag skulle berätta. Det är strax efter midsommar. Vid en snabb betraktelse kan den ena dagen likna den andra. Ett flöde av intensiv sommar, av himmel, vatten, ljud och vingar. De flesta av vikens fåglar har redan kläckt ut sina ungar och en del är nästan utvuxna medan andra är små dunbollar. Ön är i själva verket en sandrevel, en avlång ö av sand som ligger utsträckt i en grund havsvik, i sin tur omfamnad av flacka betesmarker. Längst ut vid vikens ena sida finns en udde varifrån man kan överblicka hela landskapet. Från denna plats har jag ofta målat under tidigare år. Otaliga gånger har min blick svept över de flacka maderna, utmed stengärdsgårdarna och ut mot havet. Känslan av frihet och rymd är alltid närvarande. Vid hav och på slätter där horisonten ligger obruten möter sinnena inga hinder. Det verkar som om de synliga perspektiven via näthinnan återskapas i vårt inre och bestämmer vårt utrymme för tankar och associationer. Här bärs de av oändligheten ut mot det okända. Till en början ingick ön i landskapet som en självklarhet, som en del av det system av små öar och uddar som utgjorde själva viken.

Havet, landhöjningen och de betande djuren omvandlar osynligt landskapet i ett oftast långsamt och tidlöst förlopp. Så här efteråt har jag försök tänka efter hur och när just ön bildades. Jag är säker på att en liknande formation eller ett embryo fanns året innan och troligen även sedan ett par år tillbaka.

Det mesta sker med de ostliga höststormarna. Vågorna för sand med sig in som vaskas ihop i revlar och grund. Eventuella revlar från tidigare år är dock borta eller omskapade. Deras historia, deras ande har sköljts bort av vattnet och vinden och ingen kommer någonsin att kunna berätta deras historia. Så hade väl också skett med ön om det inte hade varit för...

Det var egentligen ingen plötslig ingivelse eller väckelse som uppenbarade öns rikedomar för mig. Mer av en tillfällighet kom jag att måla några akvareller med motiv från ön. De bildade en serie med ett sammanhang, de hörde ihop. De gav mig en outtalad känsla av att stå i närheten av en dold lönngång till något otroligt. Där någonstans, genom det intensiva betraktandet och målandet, tror jag att det började. Penseln som arbetade över akvarellpappret och vattenfärgen som flöt ut i mönster och ytor formade ett språk. Snart skönjde jag de inledande kapitlen till en spännande saga.

Fåglar kom och rastade en kort stund för att sedan flytta vidare. De vilade, sökte föda och bytte sin fjäderdräkt. Fågelungar växte upp, lärde sig flyga och söka föda. Örter slog rot, växte ut, blommade och gick i frö. Vattnet steg och sänkte sig och formade linjer och mönster i strandzonen. Det förde tång, sjögräs och allehanda föremål till dess strand. Vindarna strök över sanden, omformade den och förde nya föremål till dess yta, blåste bort andra. Över ön välvde sig himlens väldighet där solens vandringar och molnens formationer realiserade ett evigt växlande ljusspel. Ljuset filtrerades genom luftlagrens växlande fuktighet, värme, lufttryck och stoftmängd. De allra minsta förändringar i ljuset kunde avläsas i öns alla materia, från skalet av en blåmussla till skräntärnans eldröda näbb. Glansdagern i den färska nyligen uppspolade blåstången, tyngden i de mörka sjoken av gammal tång, silvrigheten i tärnornas ljusa mantlar, blåheten i fåglarnas skuggor över sanden, växlingen mellan lila och rosa i strandzonens alger, allt speglade himlavalvets växlingar.

Jag kom att leva med ön och den antog snart nästan religiösa värden. Överraskad över skådespelets allt mer fascinerande intriger och raffinerade effekter sögs jag med i en virvel. Varje ljus timme på dygnet som jag inte kunde delta i dess förlopp tärde en oro inom mig. I mycket utspelades där helt naturliga biologiska förlopp så som sker överallt i naturen. Här fanns helt enkelt en verklighet, och verkligheten är den mylla där känslor och fantasi hämtar sin näring. Kanske var det intimiteten med naturen, känslan av att få delta i något utanför människans värld som trollband mig. Det spelar egentligen ingen roll för i detta läge var ön ett oändligt hav, en outsinlig ocean att ösa ur. Den ena händelsen avlöste den andra och olika färgackord tonade in för att flyta bort igen. Färger, mönster, rörelser, uttryck, ljud och dofter var i ständigt omlopp. Jag levde mig in i fåglarnas beteende, förstod deras ruggningsmönster och tog del av deras oro inför flyttningen. Allt intensivare deltog jag i dessa skeenden och något hände. Landskap från avlägsna trakter började målas upp i mitt inre och nya väsen föddes när vinden spelade i en tappad fjäder.

Jag kände precis hur savannen i västcentrala Afrika skulle te sig för brushanarna, hur den pockade och drog och hur tundran kring

Jenisejs mynning hade börjat tystna. Jag kom att ingå i en enhet, i ett slags förbund med fåglarna och öns värld. Mellan oss uppstod ett kraftfält där ett ständigt flöde av impulser berörde varandra.

På samma sätt kan idag, så här efteråt, en skiss, en anteckning eller en slarvig artlista bli koder, eller staplar kring vilka hela landskapsscener och stämningar återskapas. Vetenskapliga kunskaper hos betraktaren eller fakta i bildernas innehåll kan kanske verka hämmande men kan också ge ökade möjligheter till associationer utanför bildens yta.

Låt tankarna rinna över kanten på detta vetenskapliga kar och söka sig nya vägar. Kustsnäppans lite mjälla tegelröda, på gränsen till rosa, färg och spovsnäppans djupa brunröda, som från välbränt tegel, vibrerar olika inom oss. Låt dem vandra över sanden och spela över dess mjuka övergångar, från den torra solbelysta benvita till den av en våg nyss översköljda brunlila sanden. Olika sinnessträngar berörs, olika toner ljuder och bildar harmonier.

Jag fascineras av tanken på hur en sådan begränsad plats, ett sandkorn på jorden, kan bära så mycket inom sig. Intrycken och motiven är som en frisk sommarvind och akvarellpappret som en segelduk. Jag försöker fånga vinden och hissar mina segel. De fylls och bräddfyllt buktande förs vi ut på öppet hav medan vinden själv bara böljar vidare, oförbruten i sin slösande rikedom.

Bilderna och texterna följer sommarens skeenden. De är vad de är, sprungna ur ett tillstånd av rusig inspiration. Inget av det ni utläser eller uppfattar av eller ur bilderna är osant. Inget går att kontrollera för ön är för alltid borta. Kvar är endast dessa nedtecknade berättelser, dessa intryck från öns korta liv under en intensiv sommar.

Till minnet av vännen och målaren Allan Andersson vars målarhjärta var fyllt av strandängens liv.

Första landstigningen

FÅGELÖAR HAR EN speciell karaktär, en inne-boende rumskänsla med exotiska drag. Det gäller speciellt på sandrevlar, kobbar eller skär där människor aldrig går och fåglarna häckar tätt. Där har marken fått en yta präglad av fåglarnas förehavande, det är deras värld.

Idag besökte jag ön för första gången, vadande ut i det ljumma vattnet. Bottnen var mjuk, lite gyttjig och hade små spensliga tovor av någon ört. Jag landsteg på den syd-västra udden. I samma stund jag satte ner mina bara fötter i den varma sanden genom-fors jag av en känsla av obehörighet. Det var som att gå in i någon annans hus utan att den boende själv är med. Även om man har till-stånd och goda skäl känns det ändock under-ligt, som om man inte hade där att göra, som att kliva in i någon annans identitet. Man uträttar nästan med en känsla av skam snabbt sina ärenden och smyger därifrån. Först stod jag dock fascinerad och bara lät blicken söka över sanden, utmed strandlinjen och över de små bestående av *saltarv* och *havssältning*. Mina steg kändes som en elefants i ett dock-skåp. De små stenarna och sanden låg till-plattad och melerad av tusentals fågeltramp. Fjädrar, dun och exkrementer band samman rummet. Jag försökte vara lätt på foten och gå över tången och stråken av grus där spåren syntes mindre. Det blev en kort visit, jag tog lite tång, torkat sjögräs och några snäckskal som målarrekvisita och började gå tillbaka igen. Jag kunde dock inte låta bli att stanna till en gång till och bara stå och känna. Blicken sökte över sanden, registrerade det vibrerande färgspel som de tusentals sandkorna, småste-narna och snäckskalen bildade. Plötsligt for-merade sig ur ytan fyra knappt valnötsstora ägg i en flat grop, större strandpiparens rede.

Hela visiten tog kanske två minuter.

Större strandpiparens rede

Sand

LIVET HAR VERKLIGEN sina olika uttryck
därute på ön. Scenen är sand, mjuk finkornig sand som vaskats upp i strömmarnas bakvatten, grövre sand som likt flacka rullstensåsar ligger mjukt utlagda mot utsidan, böljande strängar av finare grus och enstaka små stenar. Sanden ligger där, uppspolad, uppslammad under himlens oändlighet och tar emot vad som behagar landa, falla ner eller spolas upp.

Utsträckt, i formen som en träklubba eller skiftnyckel, kanske som en avlagring av ett lårben från något urtida jättedjur ligger den där. Åttioen steg lång och som bredast trettioen steg.

Utmed dess hela sträckning löper en knappt synbar rygg där den grövre sanden och småstenarna samlats. Här ligger gamla tångsjok, strängar av blåmusselskal och ett par brädor, några träbitar och diverse udda föremål, bland annat ett bylte av gammal plast. Tärnorna häckar här och vilar ofta i lä av ryggen. Tångremsorna med sitt brutna mönster utgör ett gott kamouflage för flera av fågelungarna.

Nordändan är formad som en genomskärning av en ung karljohanssvamp med små laguner i "hattens" undersidor. Här vilar dagligen en blandad flock måsar och tärnor. Ut mot nordost sträcker sig ett undervattensrev av sand som stiger i dagen vid lågvatten. Sydväständan har i sin förlängning också ett undervattensrev som sträcker sig i en lång krok. Strandskator och myrspovar söker gärna föda där.

Utmed utsidan, mot havet, bildas miniatyrrevlar av tång och sjögräs som periodvis är välbesökta näringsställen för de flesta vadarna. Vattnen utanför är mycket grunda och bottnen ren sand. Mot väster och in mot viken är vattnet ofta grumligare, mer näringsrikt och bottnen dyigare. Här bildas ett slags invatten, en bukt, som är det viktigaste näringsstället för de flesta vadarna och de fåtal änder som kommer. Stranden mot bukten höjer sig tämligen brant i en halvmeterbred slänt.

Den sydvästra änden ligger närmast fasta land och här finns några tuvor av olika gräs och örter. Tuvorna i vattnet är fastare till sin karaktär och måste ha sin uppkomst minst ett par år tillbaka. De är omtyckta rastplatser för vissa vadare, bland annat kärrsnäppa, rödbena och skärfläckor.

Ön är befolkad av fåglar, en del stationära, andra är på genomresa och rastar kortare eller längre perioder. Jag kom att tänka på en internationell flygplats. Inte bara det faktum att här mellanlandar och startar många färder till och ifrån exotiska platser runt om i världen utan också för att dess utsträckning och form i det flacka öppna landskapet påminner om en landningsbana.

Lätena är som olika språk. Välkända eller udda tungomål från olika folkslag och populationer blandas. De reser ensamma, i grupper eller i stora sällskap. En grupp ryssar småpratar under näringssök medan en ensam resenär står och sover eller utför morgontoalett. Några är ivriga och spända på att få komma iväg medan andra vilar lugnt i väntan på sin avgång. Någon skall inte resa alls och utför sin dagliga rutin ganska oberörd av genomströmmande resenärer.

Hela scenen domineras av måsar och tärnor. Småtärnorna är talrikast och har nu i slutet av juni halvvuxna ungar. Två par silvertärnor, varav åtminstone ett har haft sitt bo här, och några fisktärnor hör till de dagliga besökarna.

Skrattmåsarna dåsar på nordänden flera timmar mitt på dagen. Sommarlivet är lätt för en mås när häckningen är avslutad och sommaren rik på föda.

Större strandpiparen hade misslyckats med en tidigare kull, någon mås eller översköljande högvatten kan ha varit skulden. Nu har de en ny kull. Honan ruvar större delen av tiden och hennes färger är aningen mattare.

Hanen slår vakt om reviret, budskapet i hans färgmönster kan inte missförstås.

Större strandpipare, hanen slår vakt om reviret

Fisktärna

Vilande skrattmåsar

6 juli

STILLA KVÄLL, de första kärrsnäpporna och
sex myrspovar sträcker söderut. Moln över
viken efter en varm dag.

Större strandpipare

8 juli

NÄR JAG KOMMER på morgonen har strandpiparna kläckt, en av ungarna är redan torr och bökar under honans bukfjädrar. De andra kläcks troligen under dagen för på eftermiddagen ser jag åtminstone tre av dem göra små utfärder kring redet. Men de kommer snart tillbaka och slukas upp i fjädrarna under honan.

Ungarna kläcks med några timmars mellanrum. Äggen värps med ungefär ett dygns mellanrum, men ruvningen börjar först med det fjärde ägget för att kläckningen skall ske så samtidigt som möjligt. Drygt fyra veckor ruvas äggen, så hon borde ha värpt någon gång kring den 10 juni. Säkerligen har hon lagt om kullen för att den första blivit förstörd. Högvatten, regn, någon kråka eller mås kan vara skulden. Normalt värper de i april och maj. Upprepade misslyckanden kan göra att de värper så sent som i augusti.

Strandpiparna har kläckt

9 juli

Sol, varma ostliga vindar, och småtärnornas sträva lite nasala knorrar rullar över ön. Det var tjugoen stycken som stod på eller flög runt kring ön.

Silver- och fisktärna, så lika men ändå så olika. De är svåra att skilja åt i fält, men när man lärt känna dem är deras uttryck väl skilda. Silvertärnan är eleganten, silvergrå med blodröd näbb och korta nästan försvinnande ben. Fisktärnan är grå med morotsröd och betydligt kraftigare näbb som kan ta lite större sötvattenfiskar. Benen är alltid väl synliga när den står. I luften är de båda eleganta som pardansare på is, där silvertärnan är den kvinnliga parten som upphäver tyngdlagarna med sin lätthet, rytmik och självklara grace, medan fisktärnan flyger mer på spänst och kraft. Lika tydligt framstår skillnaderna hos ungfåglarna. Den unga silvertärnan är docklikt söt med sin mörka näbb och mörkt inramade öga. Fisktärnan har lite av måsunge över sig, lite förvuxen och med lysande ljusorange näbb.

Silvertärna

Silvertärnans unge är ute och simmar i lågt vatten och plockar småkryp i ytan, början till ett eget fiske? I går låg den och bökade lite intill ett plastknyte och noppade småkryp från plasten. Intresset för allt smått som rör sig är ännu en lek men blir snart en livsviktig egenskap när den om några veckor själv skall finna sin föda.

En av de vuxna silvertärnorna badar också, går ut i bukdjupt vatten, nafsar i vattnet och börjar sedan sin toalett. Precis som människor som först sköljer sina händer, armar och ansikte innan de doppar sig inleder fåglar alltid sitt bad med att doppa näbben. Tärnan fortsätter med att huka sig och doppa buken, niger lite trevande några gånger, lägger ner huvudet och låter vattnet rinna över ryggen. I badandets höjdpunkt gungar den djupt ner i vattnet, spärrar ut fjädrarna och hänger med vingarna så att vattnet kan nå in mellan fjädrarna. Då och då väger den över på sidan och plaskar friskt med vingen så det stänker ordentligt. När den är klar lyfter den och skakar av sig i luften, ruskar om hela kroppen, dalar samtidigt hotfullt men tar nya vingtag strax ovan vattenytan.

Skärfläckan har fyra ungar, bara ett par dagar gamla. Hon söker föda med sina ungar i bukten eller sundet mellan ön och stranden. Paret är hela tiden mycket oroligt, och de jagar frenetiskt bort förbiflygande fiskmåsar. Då och då värmer honan ungarna i bukfjädrarna. För att komma i rätt nivå måste hon stå på knäna. Alla fyra försvinner in i dunbolstret så att inget annat än fyra par ben syns, en lustig syn och förbryllande om man inte genast inser vad som försiggår.

Skärfläckan värmer sina ungar

Skärfläcka

10 juli

JAG VAR TVUNGEN att åka in till stan och kom inte ner till ön förrän vid femtiden på eftermiddagen.

En svag ostvind, lugnt, lite avvaktande som slutet av en varm dag skall vara. Ljuvligt, skuggorna är distinkta men ändå lite lummiga i kanten av den kvardröjande värmen. En gammal sädesärla fångar insekter bland gräset och en av de flygga ungarna sitter nedsjunken och avvaktar tryggt sitt kvällsmål.

Kvällen kommer fort. Kanske en subjektiv upplevelse eftersom jag inte kunnat ge mig hela dagen härnere. Kusten läggs mellan rosa lakan, vatten och himmel. Skymningar efter varma mjuka sommardagar är rosa i Norden, kalla friska skymningar är gula. I skydd av mörkret kommer nu nya skepnader in och sommarnattsscenen kan börja. Ett hårt skrovligt läte skär i luften och en häger landar på skrangliga ben strax utanför öns nordostände. Tärnor och vadare lyfter skrämda av de stora vingsjoken, och när de landar kort däref-

ter lyfter hägern igen – oroad av min närvaro? Ingen snyggare entré precis, men lugnet är snart återställt och jag ser plötsligt att flera hägrar har intagit sina platser. Havet har en otrolig förmåga att återkasta skymnings- och gryningshimlars svaga ljus. Mot vattnet kan jag urskilja hägrarnas spensliga kroppar och reptillika rörelsescheman. Efter att hela dagen stått stilla som vrakgods på en holme längre bort har de nu börjat sin jakt på mat. Deras beteende avslöjar att något händer under vattenytan. I skydd av mörkret invaderas de grunda ljumma sommarvikarna av tusentals fiskar.

Långt borta lyser det i ett fönster. Någon inbäddad stuga där sommargäster spelar något spel, vad vet jag? Kanske sitter någon på trappan och njuter av jasmindoften och får en pläd om ryggen när den första skymningssvala luften gör sig påmind. Det ser mysigt ut i alla fall, men vi i viken är i en annan värld där tusen fiskögon, ett dussin hägrar och jag försöker få ut det mesta av natten.

11 juli

DE ÄR TRE DAGAR gamla nu, väger kanske femton gram och springer lika fort som jag går. Turerna går täta mellan bandet av tång där de vilar, fyra-fem meter upp på ön och vattenbrynet. Rörelserna är föräldrarnas i minatyr, de väger på stegen, snappar insekter, kliar sig och sträcker på de små vingarna. När de kliar sig med ena benet tappar de ofta balansen och får slå ut med vingarna och avbryta det hela för att inte ramla omkull. Det ser mycket brådmoget ut och det är det ju också. De får likt de flesta vadarungar helt på egen hand söka sin föda.

Strandpipareungar

S TRANDSKATANS UNGE blir till skillnad från
strandpiparens matad med jämna mellan-
rum. Men den plockar också själv en del små-
djur i strandkanten eller uppe på ön. En stor
del av dagen ligger den och trycker och då all-
tid intill en tångruska eller sjögräs som stäm-
mer med dess mörkare brungrå färg. När nå-
gon av föräldrarna borrar efter maskar utmed
öns utsida kommer ungen genast springande
och följer sedan hack i häl.

Småtärnans unge är mätt och tar en spatsertur
över sanden. Ena föräldern har kommit med
mat och följer efter och lockar med en liten
silvrig fisk i näbben. Men ungen lägger sig
bara tillrätta intill en tångruska och demon-
strerar helt tydligt sitt ointresse. Den vuxna
fågeln går dit och fortsätter att pocka, "en sked
för mamma…" Plötsligt jagas den bort av en
annan småtärna, snabbt och effektivt. Vems är
ungen? Troligen tog den första fel och för-
sökte mata en av grannparets ungar, eller
också hade den blivit av med sin egen.
    Ungen sjunker djupare ner mot sanden
och allt mer in i helheten med det disiga vita
middagsljuset.

Strandskata

Småtärneunge

I BUKTEN står plötsligt tre spovsnäppor, årets första och helt i sommardräkt. Deras lysande färg känns exotisk och de fängslar mig hela eftermiddagen. Medan jag tecknar och målar ser jag hur vattenståndet växlar. Sjok och remsor av tång ömsom blottas, ömsom försvinner. Himlen och sanden speglas i vattnet och bryts i de skimrande zonerna kring den blöta tången. Strax före solnedgången sträcker de vidare mot sydväst.

Sex myrspovar rastar också kort under eftermiddagen. De har alla utom en just börjat med ruggningen. De ger ett lite blandat beigegrått och rostrött intryck. De är oroliga, går mot nordostspetsen, lyfter och flyger mot inre viken. I tubkikaren följer jag dem in till stranden. Jag har i flera dagar sett glidflygande myrspovar bakifrån, vingarna är alltid vinklade nedåt.

12 juli

JAG HÖR EN SMÅSPOV locka över havet. Ganska länge får jag söka innan jag finner tolv spovar mot den lite matta eftermiddagshimlen. Det är storspovar, elva stycken och en ensam småspov som hänger efter på släp, märkbart mindre och med snabbare vingslag. Så hör man inte sällan i vadarflockar att en udda fågel av en annan art lockar mest intensivt. Småspoven söker artfränder och låter sitt budskap falla över viken medan storspovarna tysta arbetar sig mot sydväst. På samma sätt kan till exempel tio sandlöpare i en flock om hundra kärrsnäppor dominera ljudbilden, de måste ha ljudkontakt för att inte tappa varandra.

När spovflockarna passerar här saktar de ner farten och lockar-tåget går! De söker en lägsta möjliga hastighet utan att tappa för mycket höjd och långa svagt dalande glidmoment stöds upp av korta snabba vingslagsserier. Flocken, utdragen på ett snöre, böljar när vingslagsserierna fortplantar sig från täten och bakåt i ledet. Ibland pumpar någon nästan omärkligt med yttre vingen, handen, i glidmomentet för att hålla höjden och linjen så att aerodynamiken inte bryts, så att rytmen hålls.

När jag vid sjutiden reser mig och lämnar stenmurens lä känner jag att vinden börjat friska. Sommarväder, ja, men inte den självklara späda försommaren. Fuktigheten och mättnaden från havet talar för första gången om att sommaren inte varar för evigt, att den har en annan sida också. Högsommar skulle de flesta säga, sträckväder tänker jag. En pirrande känsla i kroppen av att året obevekligen vänder och att den stora flyttningen mot söder börjar.

Jag hinner knappt tänka tanken då jag ser ett tjugotal småvadare i innerviken. Ett snabbt svep, javisst! Årets första småsnäppa. Helt i sommardräkt, varmt rostorange och ockra. Resten är kärrsnäppor och fyra spovsnäppor. Nu kommer varje dag dessa arktiska vadare, nomader från avlägsna trakter, att besöka viken, en del rastar i små skaror intill ön, andra bara passerar.

Småsnäppa

15 juli

EN KUSTSNÄPPA rastar på ön, helt grå och troligen en ettårig icke häckande fågel. Dessa ettåriga fåglar följer sällan med upp till de arktiska häckplatserna och anlägger följd-riktigt ingen sommardräkt utan en andra vin-terdräkt istället, kanske med några få inslag av sommarfjädrar.

I innerviken stod sex myrspovar varav en, en hona, har varit här i tre dagar nu. De sov, putsade sig och sökte föda. Vid femtiden på eftermiddagen sträckte de, uppdragna av några storspovar som lockade när de passe-rade. Öns "stamhona" gick dock kvar. Hade hon valt att rugga här eller var hon sjuk eller i dålig kondition?

Trettio sekunder senare hörde jag några snabba nasala "nott nott" – kustsnäppa. En förbipasserande fågel har upptäckt artfränden på ön och vinglar ned från himlen. Flyger i av-vaktande liksom nerpressad fart i en snäv cir-kel runt ön, som ett modellflygplan tillbaka-hållet av ett snöre från centrum men pressad utåt av centrifugalkraften. Resultatet låter inte vänta på sig, den rastande kustsnäppan lyfter och med snabba klippande vingslag går den upp jämsides och ansluter sig i cirkelns bana. På öns utsida släpps banden till ön och som ett upplopp efter sista kurvan tar de fart, våldsam fart. Tätt över vattnet, hela tiden accelererande

och i kanske åttio km i timmen försvinner de ut mot sydost. Hela manövern tar kanske tio sekunder, tio sekunder av vägen mellan is-havstundran och någon västeuropeisk eller afrikansk flodmynning.

En minut senare hör jag myrspovar igen, jag tittar upp och ser tre spovar och en kustsnäppa glida in över himlen från söder. De sänker sig, drar i en vid halvcirkel runt vi-ken, verkar slå ner på ön, tvekar, försöker på udden men fortsätter ut över havet där jag tap-par dem ur sikte. Med all sannolikhet kom de in från nordost och attraherades av först viken och senare den ensamma myrspovhonan på ön. Hon hade inte tillräcklig dragningskraft för att stilla deras flyttningsiver.

Tio minuter senare kommer en flock kärrsnäppor. De delar på sig, tolv flyger vi-dare söderut och fem slår ner på ön i några se-kunder men ångrar sig och drar snabbt efter huvudklungan. Ett tjugotal kärrsnäppor som rastat hela dagen står dock lugnt kvar.

Hela tiden sker avvägningar mellan olika viljor och olika beredskap för flyttningen. När några i flocken är redo att rasta har kanske andra mer erfarna medlemmar föresatt sig att nå längre, kanske till en ort de känner sedan tidigare år. Ställs yngre medlemmars vilja mot kollektivets erfarenheter?

Studier av kärrsnäppor

Kärrsnäppor

S PRIDDA KYRRANDE KURRANDE läten från
kärrsnäppor tycks fylla lufthavet. Jag ser
upp mot molnen och högt däruppe far en tät
flock i spikrak bana mot sydväst. Länge lyss-
nar jag upp mot denna himmel fylld av lång-
näbbade, knubbiga och ivriga sibiriska kärr-
snäppor.

    En flock närmar sig och passerar över
ön. Ur gruppen hörs ringande "krilli", två
spovsnäppor kommer in i mitt kikarfält precis
när de landar på strandvallen invid bukten. De
står spända några korta sekunder, tar några
snabba nervösa steg in mot åsen men lyfter ge-
nast. Luften vibrerar av sträckoro.

Ögon Svarta små ögon, ivriga att iaktta vänds
mot himlen. Denna ljusa oändliga kupa
speglas i och avläses av tusentals små mörka
ögon. Vår stora rymd är deras väg. Det som
för oss är luft, oändlighet och ogripbart är för
dem en spelplan, en karta fylld av tecken. Där
uppe ljuder lockrop och slår tusentals vingar.
Varje rörelse och sträckaktivitet, varje silhuett
och lockrop bildar ett nät av impulser, ett
slags diagram. När plötsligt alla koefficienter
sammanfaller för individen eller flocken lyfter
de. Jag kan tydligt känna suget, draget när tolv
kustpipare i hastig flykt tecknar en spikrak
linje mot sydväst över eftermiddagshimlen.

Kustsnäppa

21 juli

MULET, snabba grå moln över himlen, nordostvind, några grader kallare än vanligt och med regn i luften – Tringa-väder. Ja, man känner på sig att vissa vadare av släktet Tringa kommer att sträcka. Och mycket riktigt, lufthavet domineras av unga grönbenor tillsammans med enstaka glutt- och drillsnäppor. Jag har just slagit mig ned när femton grönbenor drar över ön i lös formering. Grönbenor bildar sällan täta flockar, de har en stark integritetskänsla. De flyttar ofta i små grupper, och en relativt stor flock om femton fåglar bildar en utdragen oval eller ellips. Ju mer målmedvetet de sträcker, det vill säga ju mer gemensamt deras mål är, desto tätare sluter de sig samman. På så sätt kan man utläsa hur motiverad flocken är, hur stark deras gemensamma sträckdrift är.

Strandpipareunge

Under näringssök inrättar de små revir, små integritetsrymder, inom vilka andras närvaro inte tolereras. Deras föda består av insekter och mindre djur som plockas från strandzonens yta och de upptäcker den via synen. Precis som vi helt naturligt sprider ut oss när vi plockar svamp eller bär, för om våra synfält överlappar varandra skapas lätt irritation. Kärrsnäpporna däremot går ofta tätt tillsammans för de ser inte födan, de känner den med näbben, borrar efter den i tång och dy.

Jag sitter och målar en kärrsnäppa som står och sover i tången när det börjar regna. I det lugna vattnet i strandkanten där tången byggt vågbrytare kan jag se regnet falla. Det börjar som ett torrt duggande, ett fint dis av regndamm. Sedan ett jämnt strilande som bildar synbara ringar på vattnet. Regnet fortsätter att strila kontinuerligt men böljande i sin intensitet och allt blir blött. Efter en timme avtar det, men strax innan faller stora tunga droppar som bildar små kaskader vid nedslaget, som de sista tunga dropparna när man stänger av en vattenkran. Regnet har sina faser, sin rytm, sin dynamik.

Enkelbeckasin, sen eftermiddag

orangetöder

Ung sädesärla

23 juli

DET ÄR VID FEMTIDEN på eftermiddagen, solen lyser och dagens friska sydvind har avtagit. En varm och lugn stämning vilar över ön, en sommarstämning. Fåglarna verkar inte ha så bråttom att flytta in hösten, i själva verket ser de ut att ha det ganska behagligt i den varma sanden och tången. Jag räknar till exakt hundra fåglar. När de vid ett tillfälle skräms upp ser jag att ytterligare ett trettiotal fåglar stått skymda bakom ryggen.

Minst tio sädesärlor jagar insekter över sanden. De har en nickande gång, lite hukad och med stjärten guppande. Eftersom de flygande insekterna är lättare att upptäcka silhuetterade mot himlen hukar de sig och lägger huvudet på sned, gör sedan antingen ett studsande hopp eller en snabb rusch. På det hela taget en tämligen lustig balett över en jättestor scen.

En flock roskarlar slår ner på ön, mest unga och möjligen från trakten. De verkar lite oroliga och vid några tillfällen drar de runt i tät flock och lockar, uppenbarligen med resfeber. Hela kvällen far de sedan runt ivrigt lockande med korta snabba "kvitt" och "tjutt", korta liksom knubbiga läten som fåglarna själva. Strax innan mörkret lyfter de för sista gången störda av något jag inte kan upptäcka. Sekunden efter hör jag dock ett jetplan. En stålfågel påverkar kanske deras öde, får dem att flyga vidare och inte övernatta på ön. Kanske kommer deras olika resvägar att korsa varandra någonstans nere kring Medelhavet eller i Afrika?

Studier av roskarlar

DET BLIR MULET och regn mot kvällen, precis som väderleksutsikterna lovat, kallfront på väg. Jag åker ner i sen skymning och lätt regn och går över strandängarna någon kilometer. "Kallfront", aldrig känns det så varmt som när det blir mulet efter en het och kvalmig dag. Mjukt omsvepande fuktig värme som för tanken till tropikerna. Regnet lösgör strandhedens alla dofter som står tunga som i ett sydländskt kök.

Jag smyger mig fram bakom en stenmur i hopp om att få se gäss på ön. Rödbenorna avslöjar dock min framfart och varnar med sina ihärdiga hamrande läten. Snart har jag flera varnande fåglar över mitt huvud än om jag gått den vanliga vägen.

Mörkret förvandlar verkligheten till dikt. Naturens väsen frigör sig. Vattenståndet är lågt, ön har höjt sig och det känns som om jag har överraskat den i ett hemligt nattligt stadium. Den har nästan strandkontakt och om man inte sjönk ner i den mjuka bottensanden skulle man kunna gå torrskodd dit. Öns väsen, snäckor, tångruskor och små vrakbitar kan smyga sig in till land och uträtta sina ärenden. Här sker ett hemligt utbyte.

En gravandkull skyndar sig över ön och går i vattnet på andra sidan. Tre skedänder i bukten sträcker lite på halsarna men väljer att stanna. Jag upptäcker fem spovsnäppor på stranden. Det slår mig plötsligt hur förunderlig deras färg är. Mörkret är så pass tätt att jag knappt kan urskilja några färger alls, men spovsnäppornas djupa roströda färg tränger igenom och ger en så vidunderlig atmosfär. Färgen är inte alls tomteröd, men jag kommer att tänka på just tomtar. Förra veckan gick de på ödsliga tundravidder där smältvatten strilade ner mot ishavet, så nära nordpolen man kan komma på fasta landet, kanske från platser där ingen människa satt sin fot. Nu står de här i den upplösta mörkgrå sommarnatten, tundrans tomtar.

När jag går hem far ett litet vitt spöke runt i grästoppshöjd. Vettskrämt av människoklamp ilar det nervöst och med blixtsnabba kast över gräsmarkerna. Om det inte hade varit åska i luften hade jag trott att det var en vit tigerspinnare eller något aftonfly, men nu var det ett spöke.

Spovsnäppor

Att teckna gäss

FÖR VARJE DAG ser jag hur gåsexkrementerna på ön blir fler och fler. Där ligger högar av multnande ormar. Bara vid ett tillfälle när jag smög mig fram bakom muren såg jag några av dem stå på ön.

I dag går jag ner på strandängarna och närmar mig ön från nordväst. Gårdagskvällens regn hade det inte blivit mycket av, någon egentlig urladdning blev det inte. Luften är fortfarande tung och fuktig. Det är mulet men solen vill hela tiden bryta igenom och ger stötar av ljus och värme. Klockan är kanske sju, det är fortfarande lite av morgon i luften och diset höljer viken i ett mjölkaktigt motljus. Ett fyrtiotal grågäss lyfter inifrån sjön, passerar rakt ovanför mig och landar i viken. Jag sätter mig tillrätta på en sten och sveper sakta med tubkikaren över viken där lågvattnet blottar hundratals stenar och flera små tuvor och öar. Cirka hundrafemtio gäss står i vattnet utspridda i mindre grupper. Fem av dem står på

ön, tungt och värdigt, vackert utplacerade på nordväständen. De putsar sig och sover omvartannat.

Grågässen är färdigruggade så här mitt i juli. De laddar upp inför resan mot söder. Redan i augusti är de försvunna från detta område. Den främsta orsaken är gåsjakten, för efter den första lovliga helgen i slutet av juli är alla borta.

Det är svårt att teckna och måla gäss. Som få fåglar har de volym och tyngd vilket gör dem spännande som croquismodeller. De är något av fågelvärldens kossor med fylliga bröst, lite volmiga magar och skulpturala huvuden. Gången är sävlig och eftertänksam och de väger på steget. I diset ser jag dem som grå silhuetter eller skimrande bronser. Deras värdighet blir än mer framträdande med avståndet och ljuset. Deras väsen växer ju längre jag betraktar dem, ju mer motljuset växer och den stigande solen får deras konturer att flimra.

Kentsk tärna

28 juli

DE BARA STÅR DÄR lika naturligt som alla övriga fåglar men de överraskar mig. Jag känner till deras närvaro i området, har ofta sett och hört dem men aldrig som rastare på ön. En vit dimma väller in mot stranden och talar om att hav och luft inte harmonierar. Är det möjligen den spänningen som ändrat skräntärnornas dagliga rutiner? Volymer växer i dimma och de utstrålar en värdighet med samma naturliga självklarhet som hos romerska marmorbyster.

Skräntärnor

29 juli

DET REGNAR, TUNGT. Himmel och hav är grå. Rödbenans ungfågel verkar också grå, den som annars har haft en så vacker varmt brunbeige ton. I gråvädersljus är det stenar och sand som lever upp. Deras rosa, ockra och bruna toner blommar och växer i valör.

Flera kustpipare har fallit ner ur himlen med regnet. Många vadare flyttar på hög höjd och passerar här förbi helt obemärkt, men det dåliga vädret har tvingat ner dem idag. Kustpiparna är verkliga solitärer vid födosök. Närreviret har en radie på fem till tio meter och artfränder jagas omedelbart bort inom detta område. Bara vid vila står de tätare.

Plötsligt lyfter alla fåglar, som på kommando. Instinktivt tittar jag upp ur blocket och spanar efter vad som orsakat oron. Efter några sekunder ser jag en mörk skugga lösgöra sig ur regndiset ut över havet – labb. Som en falk, eller ännu smidigare, drar den in över udden, slår några snabba vingslag och glider mot ön. Tärnor och vadare kastar fram och tillbaka i täta formationer. Labben skiljer ut en kentsk tärna, gör några snabba attacker, men avbryter snart "leken". Något allvarligare försök blev det inte. Den vänder i en vid båge och tar åter fart ut över havet. Labbar parasiterar på måsar och tärnor genom att attackera dem så att de släpper sitt byte eller spyr upp krävinnehållet. Få fåglar är så välproportionerade och har ett så fulländat rörelseschema som labbar. Långt efter det att lugnet lagt sig på ön dröjer scenen kvar på näthinnan.

Labb

30 juli

JAG MÅLAR GRÄSET och örterna i kvällningens motljus. Då lägger jag åter märke till att blad och strån är avbetade och trubbiga i ändarna, något som slog mig i förrgår. Strandastrarna vars ljuslila blommor jag väntat på, var också stympade. Någon vettig eftertanke hade jag inte ägnat fenomenet, jag tog väl för givet att det var gässen.

Strax före solnedgången vadar tre av ungdjuren ut på ön och mysteriet är löst, ganska självklart. De klafsar omkring i sanden och betar lite kring tuvorna. När jag får in dem i tubkikaren ute på ön blir jag överrumplad. Jag hade ställt in mitt seende i nivå med fåglarna. Deras "lilla" värld, deras ansikten, uttryck och förehavande var verkligheten. När nu dessa kolosser av kött och blod vältrar sig in över scenen ställs allt på ända, som synen av en invasion från en främmande planet. De låg helt utanför mina förväntningar. Upplevelsen av de stora kropparna, volymerna, silhuetterade mot den blekt gula kvällshimlen är stark och vacker.

Det som jag upplevde som de outtömliga motiven på ön trodde jag mig på något undermedvetet sätt ändå kunna föreställa mig, kunna greppa om – korna ingick inte i den föreställningen. Deras besök på ön är egentligen helt naturlig, något man borde kunna vänta sig, men de öppnar en ny värld. Inte bara korna i sig själva utan känslan av att här finns uttrycksmöjligheter som jag inte anat. Den spänning jag visste fanns och som jag gjort mig till förmedlare av, byts mot verklig spänning. Att måla av ön blir inte detsamma som att måla ur ön, ur det stora spänningsfält som uppstår mellan motivet och min upplevelse, mina tankar, föreställningar och känslor.

Ett konstigt moln ligger högt på himlen, gräddgult av den nedgående solens strålar.

Ung sädesärla på insektsjakt

31 juli

D ET ÄR SENT, omkring klockan tio på kvällen. Himlen har fortfarande en mellanblå färg som i väst tonar i först turkos, sedan gulaktigt och rosa. Längst ner mot den svartblå horisonten ligger ett matt lila stråk. Himlen verkar ofta ljus i skymningen i kontrast mot den mörka landmassan. I väst in mot viken är den svartblå och nästan helt utan teckning, bara de mogna gräsvipporna som självlyser, böljande i vinden. Allt detta reflekterar jag över medan jag dröjer kvar i bilen – fångslad av en melodi på radion. Upplevelserna går på ett konstigt sätt i varandra, av texten hinner jag anteckna raderna: "When it's darkness in the delta, when the heaven is on my side, when it's darkness in the delta let me linger in the night".

Utsträckt i vattnet ligger ön som en jättelik urtidsödla vars ryggkam är taggig av silhuetterna från mängder av fåglar. De lyfter när jag kommer fram, och ur virrvarret av vingar lösgör sig en grupp fåglar som genast skiljer sig genom sin speciella flykt. De dansar i tät formation och fortsätter i öns riktning medan de andra fåglarna landar i ett oregelbundet vingfladder. "Dansar" är ordet. De tio knappt silvertärnestora fåglarna flyger ömsom mjukt vajande någon meter över vattnet, ömsom utsträckta tätt över ytan i snabb rytmisk flykt. De drar i en vid halvcirkel runt nordvästra hörnet och tar sedan fart ut mot sydost, mot havet. De relativt små fåglarna upplöses nästan omedelbart mot det kontrastrika havet, grovt grängat av svartblå vågkammar.

De hör inte till det vanliga gänget av fåglar på ön, det känns och accentueras av att de har så bråttom ut ur det förnimbara. Jag står länge och undrar vad det kan ha varit, från vilket avlägset träskland eller ishavsdelta kommer de? Igen griper mig känslan av att ha bevittnat något som inte var ämnat för ett mänskligt öga – då kommer de plötsligt tillbaka, lättsamt dansande in över ön. Är natten därute allt för mörk, allt för avskräckande? I samma sekund som de uppslukas av öns svarta kropp hör jag ett par korta spruckna "kerre"... Svarttärnor, ja visst.

En häger kommer in med djupa kupade vingar och landar på utsidan, står som en sirlig utmejslad afrikansk träskulptur, stiliserad, karikerad...

Om kvällen kommer krickorna, natten är deras tid

Studier av putsande skärfläcka

1 augusti

Varmt i luften, åska. Mellan varma luft-
massor över Ryssland och kalla i väst lig-
ger ön. Dis, ett vitt som skänker mjuka måle-
riska färger åt landskapet. Högvatten, och mot
stranden bildas havsskum, vita kroppar som
sakta hasar sig upp i sanden som stora blöt-
djur. Vågornas rytmiska pulsslag får dem att
andas, tungt och snabbt som inför en över-
mäktig ansträngning. Likt havssköldpaddor
som nattetid drar sig upp på sandstränderna i
Söderhavet. Det är natt där just nu. Någon av
dessa jättelika urtidsdjur kanske i denna stund
häver sin tunga kropp över sanden på någon
avlägsen sandrevel. Väl uppe sjunker "min"
havssköldpadda platt mot sanden och dör som
en manet på stranden. Vinden sliter lite i den
och blåser iväg några fragment som rullar in
över sanden, befruktningen är klar.

   Havsskum och tång är bröder. Havet är
varmt och eftersommarens milda vågor för
tång med sig. Berg bildas utmed öns utsida
och ruskor ligger utslängda över sanden, blöta
brunsvarta sjok bildar mönster. Vågorna har
sköljt dem långt in över den torra sanden.
Hade strandpiparen fortfarande legat kvar på
ägg hade boet sköljts över av vågorna någon
gång i natt. Livet vilar på en skör tråd.

Andrum

Varm mulenhet, kvavt, lugnt. Total andhämtning. Inte en vindpust, stilla, gråhet, avvaktan. Vi står inför en vändpunkt och höstens definitiva genombrott. Luften känns tung, viken är full av fåglar som rör sig men utan att rörelse råder. Några spovar pressar sig genom luften. Enstaka fåglar lockar men luften sluter sig snabbt igen. Gluttsnäppa, kustpipare, en avlägsen havstrut, tofsvipa, ladusvala, alla lockar med sitt budskap. Ibland står tiden stilla, under några minuter mitt i ett väderomslag, uppstår ett vakuum mellan två tillstånd. Man håller nästan andan, lystrar, vet att tillståndet är skört, att om någon minut tar någon av vindarna i, faller regn, spricker molnen upp, väcks allt ur detta tillstånd. Ett icke-varande, en kompakt helhet där allting innesluts, människor, djur, växter, stenar, allt. Ett klagande och vibrerande lockrop från en ung storspov spräcker bubblan och en ostlig vind kyler kinden och börjar sakta röra grässtråna. Jag skakar lite på huvudet och undrar om det verkligen var spoven som förlöste vinden eller om det var vinden som förlöste ett tillbakahållet lockrop.

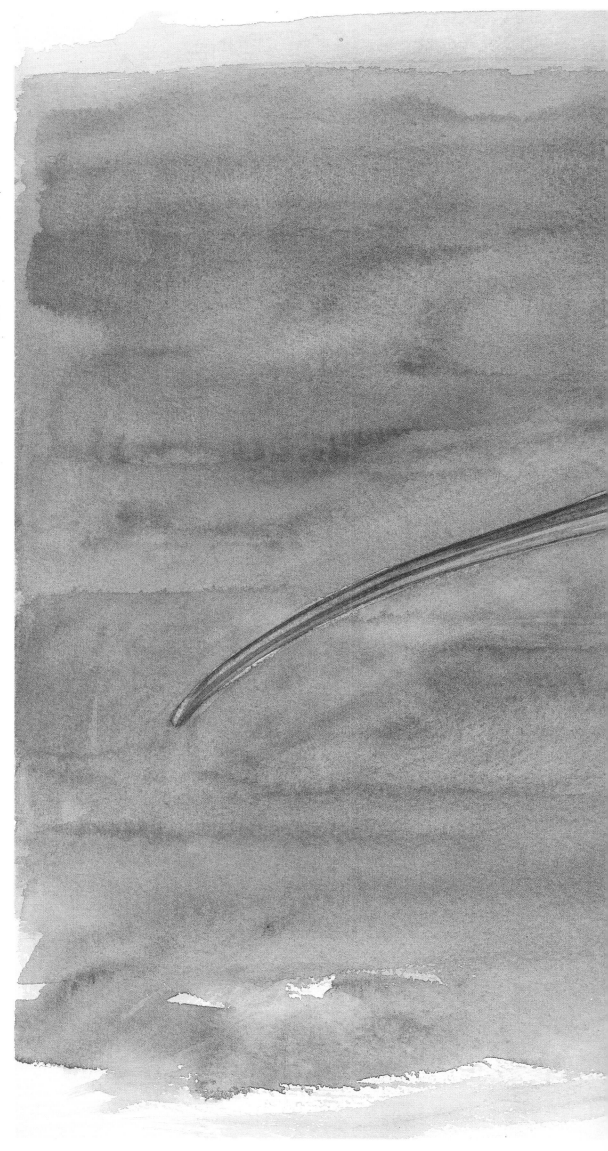

Ung storspov

2 augusti

DET VILAR ETT LUGN, ett konstigt lugn över ön. Vinden är sydlig och sommarvarm. Dagen skulle kunna passera obemärkt om inte kontrasten till tidigare dagar känns så påtaglig. Tystnaden, alla läten och intensiva förehavanden saknas. Vinden gör visserligen sitt till då den blåser bort ifrån ön. Avvaktan och väntan präglar tillvaron. Lite struligt står fåglarna och sover mot vinden, putsar sig ibland eller söker näring. De nya utväxande fjädrarna kräver all kraft hos skärfläckorna, strandpiparna och skrattmåsarna. Tärnorna är betydligt färre, bara en fisktärna, tre kentska och två småtärnor under hela dagen. Ett par skräntärnor också, de raspar hårt inifrån viken och vid ett tillfälle cirklar de högt ovan viken. Likt flyttande vråkar cirklar de upp under de växande cumulusmolnen.

Jag lägger märke till att fisktärnan har två ljusare punkter framför/ovan ögat, de första tecknen på att den svarta pannan tjänat ut sitt syfte för om vintern är den vit. När jag sveper över ön och ser hur de flesta fåglar vilar hopsjunkna bakom tångruskor och i gropar känner jag hur deras färger mattnar. De mattnar såsom häckningstidens ystra iver och med

den de klara aggressiva signalerna, kontraster i svart och vitt och röda näbbar. Allt tunnas ut och försvinner såsom fåglarna. Individerna, karaktärerna, ståtliga och pråliga försvarare av revir och ungar sjunker in i kollektivets helhet. En ny tid är i vardande.

När jag vid femtiden på eftermiddagen hör en roskarl slås jag av deras frånvaro. De grupper och småflockar som bara för en vecka sedan befolkade ön saknas helt, de är redan på väg. Kanske står öns roskarlar just nu på någon holländsk ebbstrand eller på ett klipprev i Bretagne.

En gammal sandlöpare som fortfarande har rosttonat bröst rastar någon kvart. Lite rastlöst avsöker den stranden mellan nordvästudden och bukten och plockar bland remsor av havsskum på den släta stranden. Några gånger står den stilla med näbben mot sydväst. Den väntar på droppen som skall utlösa den vidare flyttningen och så försvinner den, lite klippande med vingarna under ett par korta "tjitt"... "tjytt". Jag lyssnar upp emot himlen efter droppen, det vill säga en artfrände som möjligen passerar, men inget hörs. Allt kan inte tydas och förstås.

Halvväxt strandpipareunge

Sandlöpare

3 augusti

DET KOM EN Robinson Crusoe till ön idag.
Havet är fullt av skeppsbrutna själar som
söker fast mark. Insekter, blomfrön och alle-
handa smådjur driver handlöst omkring. De
flesta dukar under, men en liten procent finner
sin sagoö, en plats där livet är möjligt. Jag
upptäcker den bara en meter utanför sydostän-
den, lite lojt guppar den i de lugna virvlarna
kring lilla revet, en hel tuva baldersbrå. Tydli-
gen har den slitits loss från någon annan strand
och sedan seglat runt för att slutligen hamna i
öns farvatten, som så mycket annat. Efter en
kvart har den grundstött i strandlinjen och vå-
gorna puffar upp den korta stycken, samtidigt
som den balar ner sig i sanden. Tuvan är full
av blommor men de ser ut så som man kan
förvänta sig att skeppsbrutna ser ut, blöta,
vindpinade, trasiga och trötta i stjälkarna. Tu-
van får ändå fäste och blommar upp igen då
vattenståndet sjunker de närmaste dagarna, ön
har fått en ny invånare. Den drar till sig insek-
ter, och flera gånger ser jag grönbenor hitta
något ätbart i dess skrymslen.

Sandstranden är en osäker plats och få är de
växter som lyckas anpassa sig till saltet och de
extrema växlingarna mellan torka och över-
svämning. I gengäld är havet generöst med
näring och spolar ständigt upp döda växt- och
djurdelar ur vilka kväve och fosfor frigörs.
Baldersbrå som oftast växer rikligast på väl-
gödslade åkrar och ladugårdsbackar kan tyc-
kas ha en omöjlig miljö på ön. Åkern och
sandstranden har ändå sina likheter, god nä-
ringstillförsel och kraftig omrörning är ge-
mensamma nämnare, åkern plöjs och vågorna
vänder sanden.

Sädesärla, årets varmaste dag.
Som en palm på en söderhavsö vajar strandmållan och skänker skugga åt småfolket

Ung mindre strandpipare

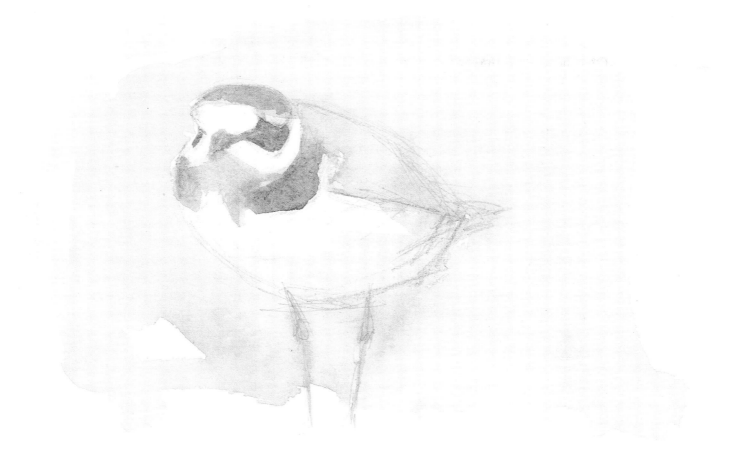

Ung större strandpipare

Kustpipare, en hona

5 augusti

Årets kanske varmaste dag, inte direkt tryckande utan helt enkelt varmt. Vinden är västlig och svag. Nyckelpigorna svärmar rikligt. De sitter överallt och inte minst på kroppen där de med jämna mellanrum bits. Columbus, min hund, och jag tar en promenad och sedan sätter vi oss längst ut på udden för att få svalka ifrån havet. På ön räknar jag till trettioen större och en mindre strandpipare. Många ligger och trycker och i värmedallret försvinner de nästan mot sand och tång.

En kustpipare flyger över när jag räknar. Jag försöker locka ner den med en vissling, men den är allt för bestämd.

Den mindre strandpiparen är verkligen mindre och huvudet verkar bara vara hälften så stort. Den är nätt, mer kontrastlös i ansiktet och med längre vingar. I värmedallret blir bara helheten kvar men det snarare accentuerar de båda arternas skilda uttryck, den mindre är som en pointer bland ett gäng boxrar.

6 augusti

RÖDBENEFLOCKARNA är ganska stora nu och samlade för resan söderut. Jag räknar till trettiotvå stycken i en flock som under intensiva "tju-hu" och "tju-hu-hu" gör en vända över viken. Annars är den sena eftermiddagen ganska tyst. Precis som brisen lägger sig i den glasaktiga timmen mellan eftermiddag och kväll verkar fåglarna också avvakta och liksom vila på hanen inför kvällens aktivitet. Under denna "glastimma", övergången mellan eftermiddag och kväll är ljuset fortfarande starkt och bländande men färgerna får en annan intensitet och man varseblir skuggornas tilltagande längd. Det är nu vi människor bryter upp från stranden, börjar fundera över och planera kvällen, våra magar gör sig påminda och det är nu som kossorna bestämmer sig för att vandra in till betet i viken. I ett långt band traskar de i det grunda vattnet förbi ön.

Kvällen kommer, men sakta. Kinden mot sjösidan blir sval, och den mot väster och solen bränner och talar om att ansiktet fått färg. Vadarnas lockrop tilltar. Intensivast är storsnäpporna, "Tringorna", rödbena, grönbena, enstaka gluttsnäppor och svartsnäppor, för alla flyttar om natten.

När himlen i väster är vitaktigt gulrosa blir havet mot öster turkos och himlen i zenit mjukt blå. De flygande tärnorna fångar upp och reflekterar dessa toner och nyanser. De böljar och byter plats över kropp och vingar som i ett finstämt kalejdoskop allt efter vingslag och flygriktning. Fåglarna sammanfattar på så vis hela himlen och havets färger. En poetisk tolkning, nej fakta, det är helt enkelt därför de är vita, det är detta som är naturens mening. Det som mina sinnen upplever och mitt intellekt omskriver som otroligt är för naturen självklart, underverket är en naturlag.

Grönbena i skymningen

7 augusti

KLOCKAN ÄR FYRA ett rosa band i öst, små smala mandelmoln får snabbt lysande neonrosa underkant. Skärflockorna sover fortfarande tungt med knäna i vattnet. Men många fåglar har vaknat och lämnat sovön för att söka föda. En storspov lockar länge, klagande som om den inte kan bestämma sig för om den skall lämna viken eller inte. Vid halvfemtiden kommer femton vitkindade gäss in från landet i nordost, småskällande, glidande i vacker formation.

Kvart över fem. Plötsligt går solen upp. Jag ligger i sanden på ön och kan se den växa som en svamp från samma perspektiv som fåglarna. På något sätt är jag inte beredd, det hela är overkligt, overkligt som en filmkuliss. Mellan vågkammarna speglar sig solen lysande gulorange. Ljum men fuktig sveper vinden in. Jag vänder mig på rygg och tittar rakt upp i himlen. Himmelskupan är aldrig så rund, så omfamnande som när man ligger på marken i ett öppet flackt landskap och speciellt intill havet. Så mild är luften att allting kan hända, som i skapelsens stund. Molnen for-

merar sig, böljar och vindlar sakta i lufthavet som i lycka över en ny dag. De översta delarna får snabbt en svagt lysande kall vitorange färg. Vi vet att solen skall nå oss alla, tända varje moln. Högt däruppe passerar tre svalor, kanske på 2–300 meters höjd, och knappt skönjbara. Jag undrar om insektlivet däruppe är rikare eller om de helt enkelt är på väg söderut.

Med jämna mellanrum hörs enstaka läten. Inte forcerat eller intensivt, för morgonen rymde ingen sträckoro. Jag noterar en storspov, en större strandpipare, kärrsnäppor, en kentsk tärna, vingsus från en grupp gravänder, ängspiplärka. Läten och ljud faller in i helheten, oregelbundet men ändå med ett slags naturlig, självklar rytm – de hör hit.
Tio över sju. Nio fisktärnor sträcker mot sydväst och sedan ytterligare sex plus två.

Sju storspovar sträcker mot sydväst och den ensamma fågel som lockat hela morgonen får äntligen svar. Den går upp och möter och hänger på den välformade linjen som rör sig samlat och målinriktat mot sydväst.

Skärfläcka

Ungstare som börjat rugga

Stare som får upp spyboll

9 augusti

Solen står två fingrar över horisonten. Ön har landkontakt. Stora sandflak ligger utbredda som deltaländer in mot stranden och mot utsidan. En trälåda har blottats på norra stranden och på näset in mot den närmsta stranden är det grönt, det lyser lite som av smaragd. Förresten, jag har aldrig sett en smaragd vad jag vet, men ser framför mig en djup, lite genomskinlig mörkt klargrön färg. Curaçao kanske är bättre, grön curaçao lyser i sundet till min tropiska sagoö.

Tio ruggande brushanar rastar i bukten tillsammans med sju spovsnäppor och ett tjugotal kärrsnäppor.

Senare på dagen kommer ett gäng starar och söker föda i tången.

10 augusti

J AG KOMMER TILL EN sommarvik, sol men klart och friskt, lite av septemberluft, svag ostlig vind och cumulus som stackar sig högt mot skyn. Tystnad och tämligen fågeltomt på ön, kanske för att min granne reparerar en båt strax intill.

En flock fisktärnor, tjugofyra stycken, fyra svarttärnor och en dvärgmås kommer in från viken, rundar udden och sträcker lugnt söderut.

Mot kvällningen slår lite överraskande en kråka ner på ön utanför revlarna. Med vaggande gång söker den över den av lågvattnet blottlagda sandbottnen. Mellan petandet i någon tångruska eller ett snäckskal tittar den lite misstänksamt åt mitt håll och försvinner ganska snart. I den klara luften och sneda ljuset får den en märklig utstrålning. Det är första gången jag ser en kråka besöka ön.

Kråka

12 augusti

ETT GÄNG SKRATTMÅSAR dåsar på nordändan. Skärfläckorna vaskar lugnt efter föda. Sommarstiltje och nästan helt tyst i luften.

15 augusti

NÄR JAG KOMMER står sju havstrutar innanför stora banken, underbart! Tre av dem lyfter direkt men de andra dröjer med spänd hållning någon minut innan de också ger sig iväg in mot viken. Först när man kommer havstrutar riktigt nära inser man deras imponerande storlek, som stora vråkar. De senaste dagarna har varit ganska lugna så med en viss överraskning finner jag att det är gott om rastande fåglar, mest kärrsnäppor men även några spovsnäppor, brushanar och den första unga småsnäppan.

På stora banken går strandskatan med sin nu helt utvuxna unge. De går tätt tillsammans och ungen verkar fortfarande tigga lite, den hukar sig inställsamt vid ett par tillfällen, men utan framgång.

En ung fiskmås strävar lite avvaktande genom vinden med svagt böjda vingar. De grå och smutsvista tonerna är så mjuka som de bara kan vara i en torr solig vind. När den passerar över öns sand får den en intensiv, varm belysning underifrån så att varje liten teckning och schattering framträder.

En död fågel ligger i strandkanten vid västra udden, jag kan inte se vad det är. Den ser närmast ut att vara i två delar. Mest påtagligt är en vinge som vajar lite lugnt i vågrörelserna, den ser relativt mörk ut. Jag gissar på en ung skrattmås eller gravand.

Varmt och soligt, en torr och frisk västlig vind – jag njuter av dagen.

16 augusti

SOL, men efter ett morgonregn. Som sammet i luften, kan någon vara oberörd? Inget är som den lena, fräscha och syrerika luften efter ett åskregn. Man bara står och andas, drar in och njuter av varje livgivande andetag. Vinden får sin fuktighet och sälta från havet, tar med sig tångdoft när den når land, där värms den snabbt upp och kryddas av backtimjan och torrt gräs.

Ett hundratal kärrsnäppor och fem kustsnäppor stod på ön. Vattnet kring ön är stålgrått, och speglar de stora lite grå cumulusmolnen som seglar bort mot nordost. Kristallklart tecknar sig varje tångfragment, varje snäcka på ön. Jag låter blicken glida genom tubkikaren, ser hur tången krupit allt längre in över ön, stannar vid någon fjäder som vibrerar lätt i vinden och upptäcker plötsligt ett okänt ansikte – en sandlöpare. Den är lite daskigt grå, troligen en hona med skäckig sommardräkt och bara enstaka rostfärgade anslag på bröstsidorna. Den löper utmed utsidan, plockar i sanden, springer vidare, möter en småsnäppa med vilken den slår följe några meter. Någon obekant silhuett på himlen får alla vadare på vingarna och jag ser aldrig sandlöparen igen. Men plötsligt står två kustpipare där och fångar min uppmärksamhet. En skiss och en idé i mitt huvud kring sandlöparen suddas snabbt ut när kustpiparna, karaktärsfyllda som få, fyller kikarfältet.

Flygfärdig strandpipareunge

Kustpiparehona

17 augusti

I DAG ÄR DET höst i luften. Hög klar luft som minner om tysta septemberdagar. Vinden är frisk och alla fåglar står i skydd bakom ryggen, alla åt samma håll mot vinden: två kentska tärnor, ett tiotal småtärnor, några silvertärnor och unga skrattmåsar. Det känns lite tyst att komma ner. Rödbenornas varningsläten är mindre gälla, ungarna börjar stå på egna ben. Konstigt med en sådan höststämning en solig dag, men så är det.

Det händer saker obemärkt och krypande. Strandmållorna har slagit ut ute på ön. Grågröna bladknippen som växt sig synliga på bara några dagar. De revlar sig ut över sanden. I mitt grodperspektiv ser jag delar av enstaka revor eller markskott med små bladrosetter ute på sandheden. De berättar om att där finns ett levande mönster, ett nätverk av tentakler som kryper över ön, suger sig ner i sanden och binder ön, ger den stadga. Här bildas en infrastruktur som möjliggör byggandet av ett nytt samhälle.

I ena strandkanten gör en ung ensam stenskvätta några hopp efter insekter. Utifrån havet kommer en vit rovfjäril och passerar tätt över sanden. Dess vinglande flykt förstärks av skuggan som studsar över sandens gropar och åsar. En ung kentsk tärna ger den en förströdd blick.

Det ligger en fjäder i sanden, den drar till sig min uppmärksamhet. Fräsch, mjuk, liksom avsomnad i sin blomstring som en ung törnrosa. Stranden är full av fjädrar som lagts av för att ersättas av nya. De avlagda är slitna, blekta och förhornade och sjunker in bland snäckskal och stenar som en del av naturens förbrukade materia, så icke denna. Det är en stjärtpenna av en ung gråtrut och dess jämna ytterfan och mjuka, lite gulgrå pennskaft berättar att dess bärare fötts endast några månader tidigare och nu troligen dött. Den skulle inte ha fällts förrän nästa år.

19 augusti

I FLYTTNINGSTIDER finns alltid en viss spänning i luften, tid för det oväntade. Oftast avslöjar måsar och tärnor i god tid en rovfågels ankomst men ön var relativt tom idag, kanske var det förklaringen till att jag överrumplades.

En stor skugga sveper plötsligt in över strandvallen bakifrån. Fågeln är så stor och så nära att mitt indirekta seende genast varseblir något väldigt mot himlen, jag tittar upp – en fiskljuse. Vackert sökande med vingarna i vinden, men lite valhänt glider den ut mot ön, svänger av och slår till på en sten. Jag får in den i tubkikaren, alldeles nära, rufsig, vild och med orangegula ögon. Några sekunder genomströmmas hela jag av fågeln innan den lyfter på grund av min närhet. Jag har tur, den tar några vingtag, glider och landar åter på en sten en bit längre bort. Där sitter den och betraktar nyfiket sin omgivning, det är en årsunge. De stora fötterna med böldlika trampdynor och groteskt långa djupt krökta klor är anpassade till att hålla hala fiskar och passar för sittbruk bäst att gripa om trädgrenar. Den får trampa några gånger innan den får ordning på redskapen och balans i kroppen.

När den lyfter igen låter den vinden föra den i cirklar högt upp på himlen. En fiskmås gör några lätta attacker mot den. Fiskljusen är dock ofarlig för fåglar och drar sällan på sig annat än loja lite rutinmässiga mobbningar. I glidflykt viker den av mot sydväst och försvinner ut ur mitt synfält – den är på flyttning.

Ung fiskgjuse,
ett oväntat besök

20 augusti

MÄTTNAD I LUFTEN, relativt varmt, lugnt efter flera dagars blåst.

En ljust grå himmel tonar i öster in mot en blågrå molnbank, en mörkare tjocknad med en lätt blå ton, nästan turkos. Det är en tjock mur av spänningar vars omfattning jag bara anar, och vars kontur jag inte förmår urskilja. Ovanför denna bank seglar en rad små ljusare gråblå moln upp, som en förtrupp. Samtidigt skruvas solen på, sakta tonar den in så att kontrasterna gradvis ökar, skuggorna mörknar. Ovanför på himlen och mot väster kommer stora moln. Lite konturlösa ovan, men alla med en jämn blygrå bas som bildar en utsträckt orm två fingrar över horisonten. De sväller omärkligt, buktar ut sina magar, vältrar sig i ultrarapid, hotfulla men nära och påtagliga så att jag tydligt ser deras existens. Just nu är himlen blå mellan dessa molnmassor. På sina ställen nästan oskylt blå, men bryggor av höga molnskyar binder samman ovädren i öst och väst. Dessa lätta cirrusar, vibrerande i sin skörhet, känns inte trygga. Jag anar hur snabbt de kan byggas på, mörkna och fyllas av de omgivande spänningarna. Just här där solen just nu pressar sig fram och värmer förtroligt kommer ovädret att dra fram. Här kommer molnmassornas ackumulerade tyngd att falla ner när den till synes oundvikliga urladdningen sker. Makter, naturliga men ändå verklighetsfrämmande kan ändra scenen över en natt.

Havet tuggar i strandkanten. Jag känner att när som helst kan ön, min verklighet vara en bränning, en krusning, ett obetydligt tecken över vad som en gång fanns, en runa över något vars skönhet bara dess samtida uttolkare kan vittna om. Jag skräms och förundras.

22 augusti

TOMT, blåsigt med tjocka grå moln över himlen. Tanken på att jag bara ett par veckor tidigare satt i kortbyxor och då och då sprang och badade känns främmande, det verkar vara flera månader sedan. Ön är decimerad till en sandrevel. Några strandpipare, två drillsnäppor och en ensam rödbena rastar, den är ingen hemmiljö längre. Kanske kommer det nya sommardagar? Det finns en konstig känsla av allmängiltighet över hösten. Fåglarna är i uppbrott och delvis ryckta ur sina sammanhang. Några begränsade hemmiljöer eller slutna rum finns inte. Luften är klar och frisk, fåglarna passerar, är på väg, som en gatubild i en storstad.

Jag ser ut över havet just när solen bryter ner mellan de stora grå molnen. Ett fartyg passerar långt därute med bara övre delen synlig ovan horisonten, krängande i vågorna, hägrande med svävande och flimrande konturer. Hela tiden passerar fåglar förbi och alla med samma riktning – mot söder.

Tre fisktärnor drar förbi, jag följer dem i tubkikaren tills de försvinner långt bort i fjärran, kanske de sista jag ser i år.

Ung skrattmås

27/8-81

Jag formulerade en idé, en litterär idé. I
oktober-november när höststormarna rasar
skall jag gå ner och se ön försvinna, se Atlan-
tis sjunka i havet. Det blev den trettioförsta
augusti... Ön är borta. Det blåste hårt från
sydost och allt är borta. Bara en opersonlig
remsa sand som blänker i den krabba sjön.

   En ung större strandpipare försöker gå
ner men tvingas ständigt på vingarna av de
översköljande vågorna. Den ser sökande ut.
Kan det möjligen vara en av de strandpipar-
ungar som vuxit upp här och nu söker efter
något som varit.

   Men när den återvänder nästa vår skall
den finna en ny sandrevel, en ny formation...
Men *ön* den är för alltid borta.

Ung större strandpipare

FOTO: RAGNHILD ERLANDSSON

Lars Jonsson är född 1952 och uppvuxen i Stockholm. Numera är han mestadels bosatt på södra Gotland. Under hela sin barndom tecknade och målade han, femton år gammal debuterade han med en uppmärksammad utställning på Naturhistoriska Riksmuseet. Han är autodidakt.

Som fågelkonstnär är Lars Jonsson världsberömd. Under 70-talet illustrerade och skrev han fem fälthandböcker om Europas fåglar. Dessa böcker har väckt stor uppmärksamhet runt om i världen, de är utgivna i sju olika länder utanför Sverige.

Lars Jonsson har visat sin konst på utställningar på gallerier och museer i Sverige, England och USA. 1982 valdes hans bild av jaktfalken på femtiokronorsfrimärket till årets vackraste frimärke.

Han har porträtterats och medverkat i svensk och internationell dagspress, fackpress, radio och TV. Nu väntar fler engagemang i USA med utställningar, grafikutgivning och uppdrag som gästlärare vid seminarier i fågelmåleri.

Om sin bok Ön säger han själv: Akvarellerna och betraktelserna i Ön är framsprungna i en rusig inspiration, de är impressioner från öns korta liv under en intensiv sommar.